CW00376806

Gilbert **Delahaye** ◆ Marcel **Marlier**

martine

au zoo

casterman

• Découvre les personnages de cette histoire •

Martine

Joyeuse et curieuse, Martine adore s’amuser avec ses amis et son petit chien Patapouf. Ensemble, ils découvrent le monde et vivent de véritables aventures. Une chose est sûre : avec Martine, on ne s’ennuie jamais !

Jean

C’est le petit frère de Martine.
Avec Jean, Martine se sent grande, et ça lui plaît beaucoup. En plus, tous deux s’entendent à merveille.
Être grande sœur, c’est le bonheur !

Patapouf

Ce petit chien est un vrai clown !
Il fait parfois des bêtises…
mais il est si mignon que Martine lui pardonne toujours !

Cet après-midi, Martine et Jean vont au zoo.

Leur maman leur a donné de l'argent pour acheter des billets.

«Je vous attendrai ici dans deux heures» a-t-elle dit en les déposant devant la grille.

– Il y a la queue ! constate Jean.

– Prends Patapouf dans tes bras, conseille Martine.

Avec tout ce monde, il risque de se perdre…

Dès l'entrée se trouve l'enclos des lions.

– Regarde, cette lionne qui câline ses petits… dit Jean.

Ils sont mignons ! Finalement, un fauve, ce n'est pas si effrayant…

– Sauf si on l'embête, précise Martine, il peut alors devenir très féroce.

Je te rappelle qu'on appelle le lion le « roi de la savane » !

Un peu plus loin, dans la rivière, des hippopotames n'arrêtent pas de bâiller.

– Ils ont passé une mauvaise nuit ! plaisante Jean.

– Ou bien ils veulent nous montrer leurs grandes dents. Sous leur air paisible, les hippopotames sont des animaux dangereux. Même les crocodiles ont peur d'eux !

Martine et Jean aperçoivent le parc des ours polaires.

– Oh, Martine, regarde celui qui se baigne, il a l'air tout triste !

– Il a peut-être trop chaud ? Les ours blancs viennent du pôle Nord, où tout est glacé. Ici, ils n'ont qu'un moyen de se rafraîchir : plonger dans l'eau.

Le dromadaire, lui, apprécie le soleil ! Rien d'étonnant, pour un animal né dans le désert… Fièrement, il promène les enfants dans le parc.

– Si on faisait un tour sur sa bosse ? propose Martine.

– C'est parti ! s'écrie Jean grimpant en selle.

– La chance… murmure un petit garçon, sur les épaules de son père.

Même les ours polaires sont impressionnés !

Le dromadaire dépose les enfants devant l'enclos des singes.

– Le papa et la maman gorilles ont l'air fâché, remarque Jean.

– C'est normal, leurs petits n'arrêtent pas de chahuter ! Ils chipent des fleurs et se balancent aux branches… de vrais coquins !

– Encore pires que nous ! pouffe Jean.

– Là-bas ! La prairie des girafes !

– Comme elles sont gracieuses… murmure Martine en s'approchant.

– Sauf qu'avec leur cou immense, on peut à peine les caresser !

– C’est quoi, cette foule ? demande Jean.

– Tout le monde veut voir les éléphants ! Et regarde, c’est réciproque… ils viennent nous dire bonjour !

– Aide-moi, Martine ! J’aimerais lui serrer la trompe !

Certains enfants grimpent sur les rochers pour les voir de plus près.
Les parents sont tout aussi émerveillés : un papa réalise même des croquis dans un petit carnet.
« Ça lui fera un joli souvenir ! » pense Martine.

Après la cohue des éléphants, c'est plus calme chez les zèbres.

– Ce doit être l'heure du repas, dit Jean. Ils galopent vers l'écurie.

– Pas tous ! Regarde celui-là… il vient nous voir !

– C'est… c'est dangereux, un zèbre ? bafouille Jean, un peu inquiet.

– Pas du tout ! s'esclaffe Martine. C'est comme un cheval… en rayé !

Un peu plus loin, de gros oiseaux noir et blanc se dandinent.

– Des pingouins ! s'écrie Jean.

– Et des manchots !

– C'est la même chose...

– Eh non ! réplique Martine. Seuls les pingouins savent voler. Et ils vivent dans l'hémisphère nord, tandis que les manchots sont au sud.

C'est la maîtresse qui l'a expliqué.

– Je savais qu'on verrait des kangourous ! se réjouit Martine.

– Oh, la maman a même un bébé dans sa poche !

– Il y restera jusqu'à ce qu'il sache se nourrir seul, explique un visiteur.

« Ça a l'air confortable… » pense Jean, un peu envieux.

– Coucou les cocos ! lance soudain une autre voix.

Jean sursaute et se retourne : personne !

– C'est le perroquet ! s'écrie Martine en riant.

Martine et Jean filent à l'aquarium.

Il y a des poissons de toutes les couleurs, des étoiles de mer, des coquillages… Mais le plus impressionnant, ce sont les tortues de mer !

– Comme elles sont belles ! dit Jean.

– Il paraît qu'elles peuvent vivre jusqu'à quatre-vingts ans… précise Martine. Tant qu'elles ne sont pas prises dans un filet de pêche…

Après les fonds marins, les oiseaux !

– Le marabout a l'air furieux, constate Martine. Je me demande ce qu'il reproche à ces grues…

– Peut-être qu'elles pêchent des poissons dans sa mare ?

– Ou qu'elles le narguent, avec leur allure hautaine et leur aigrette… C'est vrai qu'elles ont l'air un peu snob !

– L'aigle, en revanche, n'a pas l'air commode, remarque Jean.
Tu as vu son bec crochu et ses griffes noires ?

– Ses serres, tu veux dire ! Et, grâce à sa vue perçante, il repère n'importe quelle proie…

– Brrr… Encore heureux qu'il habite très haut dans les montagnes !

– Ces oiseaux-là sont plus gais et plus rigolos ! s'écrie Jean en apercevant les flamants roses.

– Oui, et, le plus amusant, c'est qu'ils dorment sur une seule patte !

– Vraiment ? Je me demande comment ils tiennent debout…

– Ouhouh ! Hihi ! fait un petit chimpanzé qui passe par là.

– Il trouve peut-être que ces oiseaux ont une drôle de couleur ?

– Leurs plumes sont roses à cause de leur nourriture, répond Martine. Des crevettes, bien sûr !

Déjà la fin de la journée... Le temps a filé !

– Le zoo va fermer, constate Martine.

– Vite ! Maman nous attend à la sortie.

– Dis-le plutôt à Patapouf... On dirait qu'il n'a aucune envie de quitter ses nouveaux amis !

Retrouve **martine** dans d'autres aventures !

martine
fête son anniversaire
casterman

martine
fait du vélo
casterman

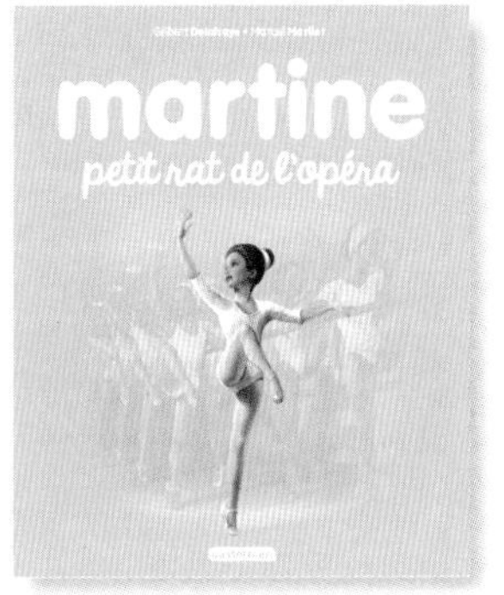
martine
petit rat de l'opéra

martine
à la fête des fleurs
casterman

martine
fait la cuisine
casterman

martine
en vacances

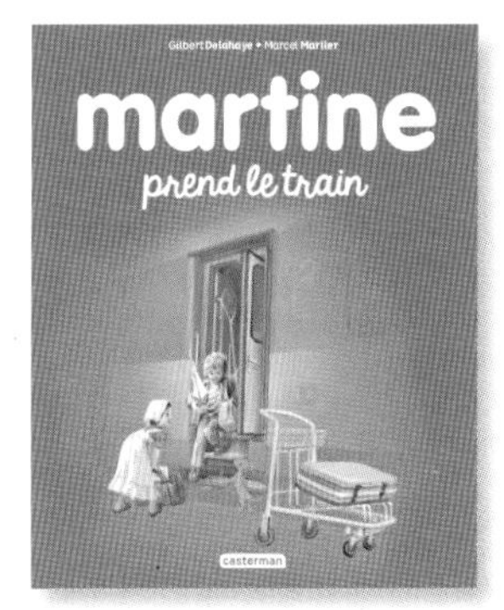
martine
prend le train
casterman

martine
et le petit moineau
casterman

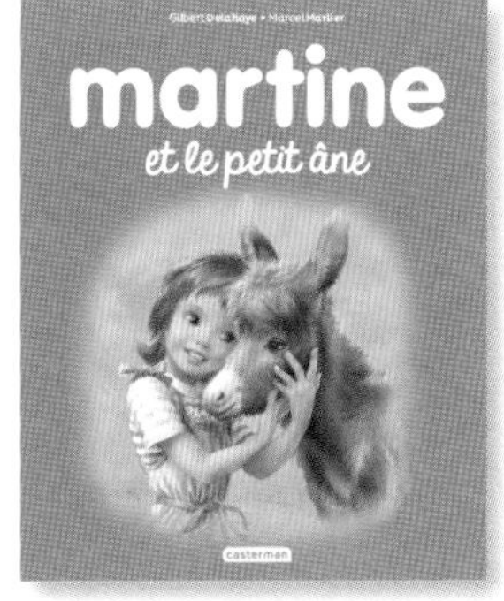
martine
et le petit âne
casterman

martine
fête maman

martine
découvre la musique

martine
a perdu son chien

Gilbert Delahaye • Marcel Marlier
martine
dans la forêt

Gilbert Delahaye • Marcel Marlier
martine
et le cadeau
d'anniversaire

Gilbert Delahaye • Marcel Marlier
martine
et la sorcière
casterman

Gilbert Delahaye • Marcel Marlier
martine
la nuit de Noël
casterman

martine
déménage

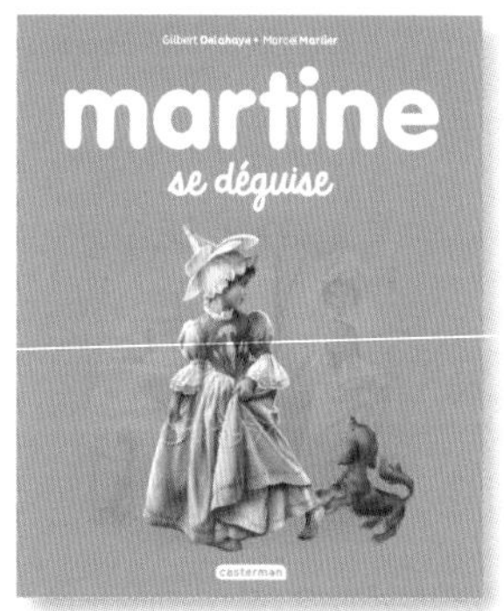
Gilbert Delahaye • Marcel Marlier
martine
se déguise
casterman

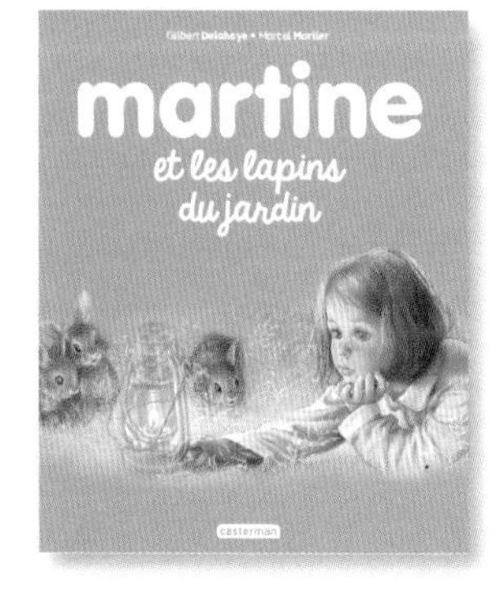
Gilbert Delahaye • Marcel Marlier
martine
et les lapins
du jardin
casterman

martine
à l'hôpital

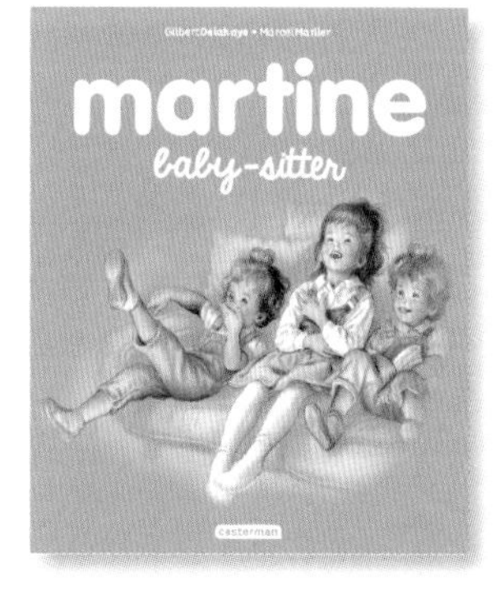
Gilbert Delahaye • Marcel Marlier
martine
baby-sitter
casterman

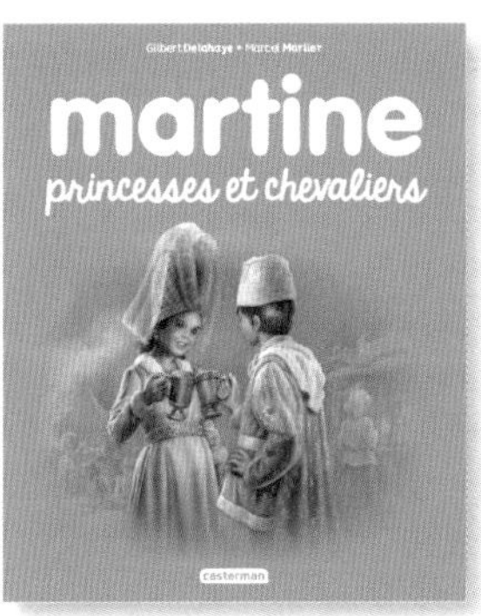

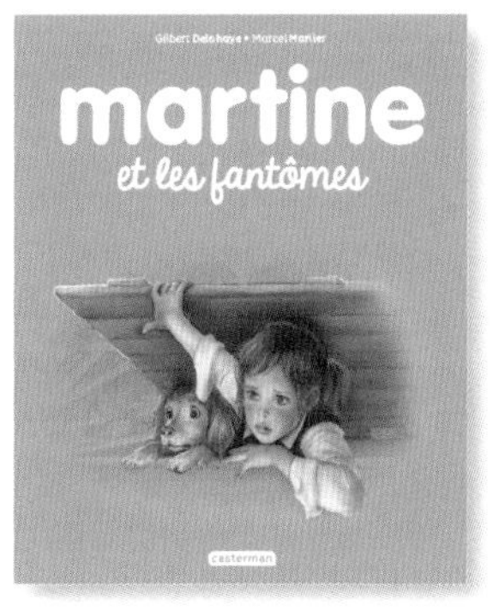

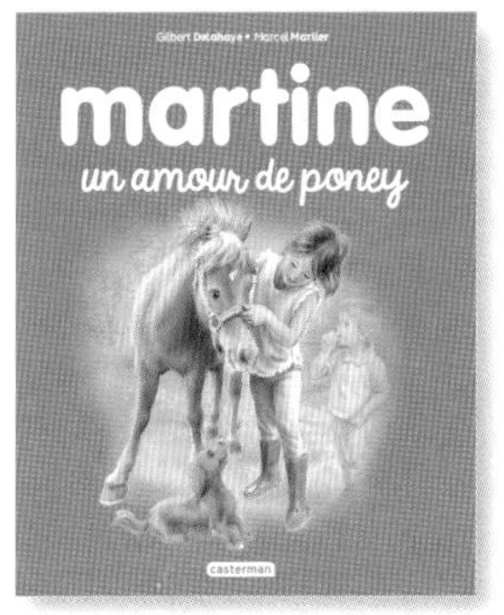

Casterman
Cantersteen 47
1000 Bruxelles

www.casterman.com

ISBN : 978-2-203-10673-4
N° d'édition : L.10EJCN000485.C005

D'après les albums de Gilbert Delahaye et Marcel Marlier.
Achevé d'imprimer en mars 2018, en Italie.
Dépôt légal : mars 2016 ; D.2016/0053/90
Déposé au ministère de la Justice, Paris (loi n°49.956
du 16 juillet 1949 sur les publications destinées à la jeunesse).